인생의 향기

변화를 통해 배우는 삶

박수연 지음

일관되게 반복되는 계절이다. 말하지 않아도 질서를
지키며 제 할일을 한다. 매일 나의 성장을 담아낸다.
백일의 여정을 작은 기록으로 모은다.

목차

프롤로그   6

1. 100일   7
2. 내가 좋아 하는 계절   8
3. 가을비 내리는 날에   9
4. 진성 엄마 기억   10
5. 시대에 맞게 변해 가고 있을 뿐   12
6. 서로를 위하는 명절이었으면   13
7. 명절 증후군 없는 추석이었으면   14..
8. 챌린지가 주는 힘   15.
9. 온라인 살기   16
10.아들 신혼집 이사   17
11공감 능력   19
12.휴식   21
13.2023년 10월 5일 가을   22
14.할 일이 있다는 것   23
15.기억력   24
16.사랑도 미움도   25
17.조금씩 하나씩   27
18.말하지 않아도 둘째에게   29
19.반복 되는 일   30
20.동대문구 봉사   32
21.일희 일비   35
22.뭐라도 하다보면   36
23.캔바 미러링 복습   37
24.가을 과일   38

25.캔바 초사실주의 아트   39

26.지금 역활이 어떤들   41

27.가을이면   42

28.계획대로 되지 않는다.   43

29..다시 시작   44

30.올 가을엔   45

31.저녁형 인간   46

32.가을 모기   47

33.고향 친구   48

34.이렇게라도   49

35.사랑의 표현   51

36.아들은 공부중   52

37.뤼튼에게   53

38.나이를 먹어 간다.   55

39.아가에게   56

40.제철 과일   57

41.희망   58

42.늦가을 단풍   59

43.황혼   60

44.내일 산행   61

45.북한산 산행   62

46.평온함을 위해   64

47.잘 한다는 것   65

48.재활용 나가는 날   67

49.쇼핑   68

50.새로운 일을 하게 되고   69

51.겨울 느낌   70

52.쉬지 않고　71

53.여행　72

54.코로나 예방접종　73

55.스마트폰　74

56.배움은 만남　75

57.의지 부족일지라도　76

58.고구마와 물김치　77

59.강원도 양양 하조대　79

60.블로그 강의를 듣고　81

61.블로그 체험담이 궁금해요　82

62.한해 봉사를 마치며　83

63.선택과 집중　84

64.글쓰기는 마음 내려 놓기　85

65.블로그 수업　86

66.나만의 크리스마스 카드 만들기　87

67.네이버 그린닷　89

68.커피 샴푸　90

69.카카오 택배　91

70.사진 보정앱 <Face App>　92

71.포토 스튜디오(Photo Studio)　93

72.12월이 되었다.　95

73.반드시 해낼 거라는 믿음　96

74.스마트폰 카메라 기능　97

75.캔바 드림보드　98

76.책으로 마음밭을 일궈라/송수용작가　99

77.스마트폰 갤러리　100

78.스마트폰 휴지통 비우기　102

79.표정　103

80.카톡 데이터 삭제하기   104

81.스마트폰 메세지로 사진 영상 바로 보내기   105

82.소중한 이 순간   106

83.100일 챌린지를 하면서   108

84.카톡 전자 문서   109

85.카카오 뱅크/세이프 박스   110

86.친정에서 김장 하고 오는 고속도로에서   111

87.슬라이드 메시지 앱   113

88.블로그 새그룹추가 만들기   114

89.카톡 오픈방 홈화면으로 바로 가기   116

90.모바일에서 내 블로그 통계 알아보기   117

91.동지날에   119

92감성 공장 앱으로 카드 만들기   120

93.모바일 블로그 글씨 크게/돋보기 기능   122

94.쉽고 맛있는 배추전 만들기   123

95.블로그 사진에 링크 넣기   124

96.Face App앱 포토퍼니아앱 캡컷앱 이용하여 명상 만들기   125

97.안사돈과의 식사 아들 생일   126

98.gif 만들기   127

99.모멘트 캠으로 나만의 캐릭터 만들기   128

100.한해를 마무리 하며   129

에필로그   130

판권   131

프롤로그

기록은 나의 성장을 담아내고 어떻게 살았는지 알려 준다.
빠르게 변화하는 세상에서 살아 가고 있다.
지금의 세상살이는 그저 빠르다.
하루가 지나면 기억에서 희미해질 정도로 모든 일들이 뒤로
밀려나고 있다.
옛것을 좋아하고 아끼시만 붙들어 놓을 여유조차 주시 않고 흘러가
고 있다.
모든 것이 찰나라고 인정해 버리고 있다.
아주 사소한 일이라도 멈춤을 담아 두고 싶다.

1.100일

한해가 시작된다 싶으면 한해가 저물어 가고 있다.
올해도 그렇다.
오늘부터 100일 뒤면 달력의 마지막 날이다.
올 한해가 가기전 의미 있는 챌린지를 시작 했다.
올 연말이 기대 된다.
소소한 일상을 기록으로 남길 수 있게 되었다.
시간이 흐른 후 함께 했던 지인들을 기억하고 추억하게 될 것이다.
3년 동안 온라인 세상에서 새로운 공부를 했다.
여러 가지 다양한 공부들이다. 글쓰기는 앞으로의 방향을 잡아 갈
수 있게 했다.
자격증 취득. 글쓰기. 강의....
'내가 할 수 있을까?'에 대한 두려움이 많았다.
모든 것이 처음 겪는 일들이었다.
그 과정이 쉽지 않았다.
굳이 이렇게 해야 하는 이유를 스스로에게 묻기도 했다.
공부는 지금 이순간도 이어지고 있다.

올 여름은 유난히 덥다고들 한다.
날씨를 느낄만한 여유가 없었다.
복잡하고 바쁜 일은 공부만이 아니었다.
잔잔한 호수처럼 평온해 보일 뿐이었다.
오늘은 처음이라는 특별하고 의미 있는 날이다.

2.내가 좋아하는 계절

오늘의 특별한 일은 아들이 신혼여행을 마치고 돌아오는 날이다.
결혼 준비부터 신혼여행 주택문제까지 둘이서 해결 했다.
얼마나 힘들었을지 가늠이 간다.
내일부터 직장에 나간다.
아들 며느리는 일상을 살아가기 바쁠 것이다.
부모로써 행복하게 살기를 바달뿐이나.

불어오는 바람이 기운이 느껴진다.
살갗에 닿는 차가운 느낌이 좋다.
가을바람이다.
일 년 사계절 안에서도 인생을 살아가는 위안이 들어 있다.
내 인생에서도 봄. 여름. 가을. 겨울이 있었다.
사계절 모두 매력적이다.
'좋아하는 계절을 묻는다면?'봄. 가을이다.
봄, 가을이 일 년 동안 이어질 수 없다.
혹독한 겨울이 없다면 봄은 오지 않는다.
힘든 일이 있었기에 지금에 내가 있는 것이다.
캔바 자격증 공부를 하고 있다.
2급 취득에 이어 1급 마무리 단계에 있다.
시간이 나면 공부를 했다.
컴퓨터 앞에 앉기까지 쉽지 않다.
공부를 시작 하였기에 지금 내겐 할 일이 있다.
공부를 하느라 바쁘다.
행복한 고민이라 할 수 있을지 싶다..

-

3.가을비 내리는 날에

아들이 결혼을 했다.
지금도 실감이 나지 않는다.
현실은 진실하다.
아들 표정이 좋지 않아도 무슨 일이 있나 싶어서 걱정이 된다.
서로 맞추어 가다 보면 적응이 될 것이다
일을 마치고 집에 와 보니 사돈댁에서 보내온 선물이 있다.
딸을 보내고 마음이 어떨지 짐작이 간다
부모로써 예쁘게 살아 주면 바랄 것이 없다.
추석 명절이 다가 오니 명절 스트레스도 있을 것이다.
얼마 전 아들 결혼을 시킨 지인에게 전화를 했다.
요즘 아들 며느리에게 어떻게 대해야는지 물었다.
자식 며느리 얼굴 평생 보고 싶으면 잘 하라는 말을 들었다.
어른들이 잘 해야 한다는 것을 안다.
가을비가 내리는 날이다.
사람을 사랑하고 받아 들일만큼 성숙한 어른인지 생각해 본다.
나이를 먹는다고 어른이 아니다.
이제 진정 어른이 되어 가고 있다.
어른다운 부모가 되고 싶다.
자식 며느리에게 부끄러움 없는 행동을 하고 있는지 생각해 본다.

4.친정 엄마의 기억

가을비가 내린다.
봄에 내리는 보슬비 같다.
며칠 전 아들 결혼식에 오셨던 친정 엄마가 생각난다.
3일을 집에서 보내셨다.
짧지만 길게 뇌리에 남는 엄마와의 추억을 잊으려 애썼다.
기억이 나는 장소에서 생각이 날 때면 시치미를 뚝 때었다.
90을 바라보는 엄마가 이제 서울을 올 수 있을지 생각하면 애잔 했다.
엄마와 함께 했던 장소 함께 나누었던 얘기를 생각하면 마음이 아플 것 같았다. 그래서 잊으려 했다.
오늘 목욕탕을 다녀왔다
엄마와 함께 다녀왔던 기억이 났다.
독하게 기억하지 않으려 했는데 그렇게 되지 않았다.
그날 엄마는 내등을 밀어 주었다.
목욕을 마치고 집으로 돌아오는 길에 엄마는 몇 번을 쉬었다.
"얼마큼 더 가야 하냐?"
"...."
"거의 왔어...."
".....도로 담벼락에 기대어 쉬기를 몇 번 했다.
"가 보자. 속이 매슥거리고 안 좋다...."
식은땀을 흘리며 한참을 쉬셨다.
뜨거운 물에 담그고 힘이 빠지셨던 것 같다.

엄마는 내가 공부하는 의자 뒤에서 누워서 지내셨다.
"열심히 해라"
모니터를 가리키면서 한 말씀 하셨다.

네가 글을 쓰면 여기에 써지는 거야?"
공부하는 딸을 기특하게 바라보셨다.
"전에 네 아버지가 밤새 공부를 하셨다"
"돌아가시는 날도 글쓰기를 하시더라."

내 등 뒤에서 코를 골고 주무시다가 눈을 뜨면 한마디씩 하셨다.
결혼식을 마치고 엄마는 집에 가시겠다고 보채셨다.
그 이튿날 고속버스에 태워 보내 드렸다.
엄마가 가시고 나는 하던 공부를 매일 했다
내 등 뒤에 엄마가 있는 것만 같았다.
한참 공부를 미치고 엄마가 있다고 생각했는데
등뒤엔 아무도 없었다. 적막만이 남아 있었다.
엄마를 기억하지 않으려고 애썼다.
이상하게도 시간이 지나면 지날수록 기억은 또렷해지고 있다.
몸 쓸 놈의 기억 고속버스터미널 엄마가 오던 날
마중 나온 나를 보고 반가워하던 모습....
엄마가 버스를 타고 내려가던 날....
터미널에 갈 때면 기억이 날것이다.
함께 갔던 백화점.우리동네 곳곳에 추억이 남아 있다.

5.시대에 맞게 변해 가고 있을 뿐....

일 년에 두 번 있는 명절이 다가올 때면
마음이 편치 않았다. 결혼생활 30년 동안 변함없었다.
명절 때면 시댁에서 벗어나지 못했다.
올 추석도 명절을 보낼 생각에 머리가 무거웠을 것이다.
그 끝이 오지 않을 것처럼 단단하게 느껴졌다.
묵묵히 살아보니 끝이 있었다.

올 추석은 다르다.
아들이 결혼을 했다.
자식들이 원하든 대로 할 생각이다.
밖에서 밥을 먹자고 하면 그렇게 할 것이고
바쁘다고 하면 그런가 보다 할 것이다.
명절이어서 꼭 해야 하는 행사는 아니다.
어른들이 원하는 것이 옳고 그름의 잣대 또한 아니다.
스스로 어떤 행동을 해야 하는지 모르는 사람은 없다.
어른을 공경하고 살아가는 방식이 다를 뿐이다.
옛것을 알지 못하고 잊는 것 또한 아니다.
내려오는 전통을 잊어서는 안 된다.
이 세상은 생각을 할 줄 아는 사람들이 살아가는 세상이다.
자식에게 잘못이 있다면 부모에게 있는 것이다.
부모가 자식을 사랑하는 마음은 변하는 법은 없다.
지식 또한 부모를 떠나지 않는다.
세상에 맞게 변해 가고 있을 뿐이다.
사랑을 주고받는 방식이 달라지고 있을 뿐이다.

6.서로를 위하는 명절이었으면...

며칠간 먹을 음식 준비를 해 놓아야 할 것 같다.
시장에 나갔다.
앞사람이 움직이지 않으면 발을 뗄 수 없다.
답답한 생각에 얼른 빠져 나가고 싶었다.
간소화 된 명절이라지만 음식 재료를 많이들 사는 모습이다.
많은 사람들이 떡집 전집에서 순서를 기다리고 있다.
고사리. 도라지. 숙주나물을 조금씩 샀다.
동태전과 호박전을 할 생각이다.
명절 때면 푸짐하게 음식 준비를 했었다.
하루 종일 음식을 했다.
여러 개의 채반에 음식이 수북이 담겨 베란다에 줄지어 있었다.
음식을 만들고 상을 차리고 설거지를 반복했다.
이제 그런 날은 없을 것이다.
얼마 전 결혼 한 며느리도 친정에서 명절을 보내고 있다.
아들 며느리가 식사라도 대접하고 싶다고 한다.
명절 지내고 시간 될 때 먹을 게 좋다고 했다.
얘들도 피곤해 보인다.
명절에 쉬지 못하면 편히 쉴 날이 없다.
서로를 위하는 명절이었으면 하는 바람이다.

7.명절 증후군 없는 추석이었으면...

명절인데 조용하다.
<풍요로운 추석 되세요!>
인사말이 무색할 정도이다.
간소하게 나물을 볶고. 전을 만들었다.
복잡한 문제들을 안고 살아가는 세상이다.
요즘 사람들의 생각이 달라시고 있어 나행이나.
어른들을 공경하고 살 만큼 한가로운 세상이 아니다.
부모 또한 자식들의 도움이 절절한 세상 또한 아니다.
각자의 생활이 있다.
풍성한 한가위는 개개인이 누렸으면 한다.
상대의 입장을 배려해야 한다.
'더도 말고 덜도 말고 한가위만 같아라.'는
말도 이제 옛이야기가 될지 싶다.
명절 증후군이란 말이 있다.
누군가는 고통이 되는 날이라는 것이다.
누구나 풍성한 한가위. 행복한 추석이어야 한다.

8.챌린지가 주는 힘

공부를 하면서 가끔씩 드는 생각이 있다.
'왜 공부를 하고 있지,,,?'
애들은 품안을 떠나가고 있다.
각자가 살아가기 바쁜 세상이 되어 가고 있다.
공부라는 할 일이 없었더라면 어땠을까.....
이번 챌린지 덕에 명절에도 글을 쓰고 있다.
오늘의 기억 또한 오랜 시간이 흐른 후에 생각이 날것이다.
며느리 들어온 해의 기억으로 더 의미가 있다.

내가 제일 길게 한 챌린지는 1년이다.
새벽 5시에 일어나 매월 14일 동안 했다.
12개월을 하루도 빠짐없이 인증 했었다.
잘 하는 것보다 꾸준하게 했다.
지금은 그 기억도 가물가물하다.
아침잠이 많은 때였다.
새벽 5시 명절에도 예외는 없었다.
몸이 망가지는 듯 했다.
난 새벽형 인간이 아니라는 것을 알게 되었지만
그 고생이 헛된 것이 아니었다.
이른 아침 일어나는 두려움을 사라지게 했다.

9.온라인 살기

2020년 코로나가 온 세상을 불안하게 했다.
우연히도 그 해에 남편 직장에서 일을 하게 되었다.
공부할 수 있는 여건이 맞아 떨어졌다.
온라인 공부하기 좋은 시기였다.
평소 공부가 부족하다는 생각이 많았다.
무엇이던 배우고 싶었다.
사람들과의 만남이 자유롭지 못하게 되었다
온라인 공부의 필요성이 강조 되었다.
스마트폰 공부부터 시작이 되었다.
그해 여름 기억이 생생하다.
인스타그램 강의를 반복해서 듣고 업로드를 했다.
업로드 된 사진을 지금 봐도 어설프다.
3년을 공부 하고 있지만 만족스럽지 못하다.
글을 쓰면서 지금껏 해온 공부를 기록으로 남길 수 있게 되었다.
<지겹다고 느끼는 순간 행복이 찾아온다.>
<30일간의 건강한 식습관 체중감량 이야기>
<텀블벅성공> 종이책 두 권을 썼다.
2023년 지금까지의 성과는 캔바 이다.
1급까지의 공부가 쉽지 않았다.
추석 전에 자격증 신청을 하기 위해 열심히 했다.
수정을 반복하고 밤잠을 설쳐가며 하다 보니 되었다.
캔바의 쓰임새가 끝이 없다는 것을 알고 있다.
올해 공부의 과정도 기록이 되어 가고 있다.
시간이 흐른 후에 좋은 추억이 될 것이다.

10.아들 신혼집 이사

아들은 2023년 9월3일 결혼을 했다.
오늘 신혼집에 들어갔다.
결혼식을 하고 한 달 만이다.
그사이 신혼여행을 다녀오고 각자의 집에서 생활을 했다.
10월 2일이다.
아들 부부는 한 달 만에 신혼집에서 살게 된다.
앞으로 살아갈 기반을 잡고 나올 수 있으면 하는 바람이다.
안사돈과 함께 짐정리를 했다.

하나씩 정리를 하다 보니 자리를 잡아 갔다.
옷장으로 주방으로 욕실로...
각자 독립된 생활을 하다가 살림을 합치고 불편함은 없을지
별 걱정이 다 된다.
언제든지 떠나갈 자식이지만 무어라 표현해야 할지 모르겠다.
못해준 것도 미안하고 넘치도록 잘 하는 것도 아닌 것 같고..
부모 노릇이 쉽지 않다

부모로써 만족스럽게 해 주지 못한 것이 마음에 걸린다.
안사돈도 나도 자식을 떠나보내는 마음은 한결 같은 듯 했다.
아직도 어려 보이기만 하다.
이삿짐을 정리하고 가까운 중국집에서 음식을 먹었다.
자식들이 정성스럽게 대접을 하려고 했다.
식사 후 안사돈과 함께 전철을 타고 각자의 집으로 향했다.
이제 둘이서 살아갈 일만 남았다.
딸을 보낸다는 생각에 밤잠을 설쳤다고 하셨다.
부모마음은 같을 것이다.

잘 살기를 바랄 뿐이다.

11.공감 능력

연휴에 디즈니에서 드라마를 보고 있다.

<무빙> 2회에 나오는 대사가 들어 왔다.

화면을 뒤로 하고 자세히 들어 보았다.

(봉석)"왜 나는 하면 안 되는데… "

"초능력 있는 건 나라고요."

(미현)"초능력! 그게 뭔데?"

"사람의 진짜 능력은 공감 능력이야."

"다른 사람 마음을 이해하는 능력. 그게 가장 중요한 능력이야"

"다른 사람 마음 아프게 하는 게,…… 그게 무슨! 그게 무슨 영웅이야!…"

"………"

"용기내서 한 행동에 별거 아니라는 듯이 마치 네가 더 잘 났다는 듯이 친구들 앞에서 뽐내듯이 보여 줬잖아. 봉석이가 한 행동은 하나도 멋있지 않아.".

"히어로!!!!.. "

"아니야. "

"다른 사람 헤아리지도 못하는거 그거 아무것도 아니다"

"………"

나는 상대의 입장에서 생각하는데 에 관심이 많다.

그래서인지 이 대사가 들어 왔다.

이 대사에서 <다른 사람 마음을 아프게 하는 것 그거 아무것도 아

니다>라고 한다.

상대를 공감한다는 것은 타고나기도 하지만, 이해심이고
따뜻한 마음이다.

내 욕심대로 하려 한다면 공감능력은 멀어져 간다.

공감하지 않는 마음이 쌓이게 되면 인간의 모습이 어떻게 변해갈지
상상해 볼 수 있다.

상대를 힘들게 하고 괴물 같은 모습으로 변해 갈 것이다.

주변에 사람들은 떠나가고 외로운 사람으로 남게 된다.

공감은 많이 가져서. 힘이 세다고. 많이 배워서
생가는 것이 아니다.

공감은 상대를 배려하는 따뜻한 움직임이다.

12.휴식

추석 연휴가 끝나고 일상이 시작 되었다.

연휴가 시작되면서 몸이 좋지 않았다.

아침 일찍 일어나 하루를 시작 했다.

몸이 좋지 않아 내과를 들렸다..

평소 다니던 병원에는 먼저 온 사람들이 순서를 기다리고 있었다.

의사 선생님은 요즘 감기 증세를 잘 알고 계셨다.

코로나는 아니라고 하신다.

1주일분의 약을 받아 왔다.

이번 연휴가 길게 느껴졌다.

연휴 내내 몸이 아팠다.

몸이 아팠지만 해야 할 일은 해 내었다.

독감에 걸렸던지 오한이 나고 목이 아프기 시작했다.

몸은 아픈데 아프게 느껴지지 않았다.

마음이 복잡했다. 몸이 알아서 아파 주는 듯 했다.

어쩌면 복잡한 마음을 피하려고 아픈 걸 선택했는지도 모른다.

그래서인지 몸살이 떨어지지 않았다.

정상적인 컨디션으로 돌아오고 싶지 않았다.

아프다는 핑계로 혼자만의 시간을 갖고 싶었던가 보다.

몇 년 동안 크고 굵직한 집안일들이 해결이 되지 않았다.

거기에 아들이 결혼을 하고 마음 한구석이 텅 빈 느낌이다.

마음에 평화가 오기 까지 시간이 더 필요한 듯하다.

13.2023년 10월 05일 가을

엊그제만 해도 덥다고 반팔을 입었다.
하루 이틀 새 가을이다.
일 년마다 오는 계절이지만 매해 새롭다.
계절은 늘 다음을 준비한다.
미래를 향하고 변화한다.
일관되게 반복되는 계절이지만 지루하지가 않다.
말하지 않아도 질서를 지키고 제 할 일을 빈틈없이 한다.
자유롭고 조화롭다.

젊음도 아름다움도 때론 고독도 마다 하지 않는다.
자연의 이치에 순응하듯 인생 또한 고독할 때 성장 한다.
가을이 오고 있다
시간이 흐른 후 올가을은 기억 할 일이 많을 것 같다.

14.할 일이 있다는 것

겉으로 보기에 특별할 것 없는 평범한 날들이다.

실상은 그렇지 않다.

원치 않은 일이 생기더라도 흘러가는 대로 살아 내고 있다.

숙제라고 생각한다.   때론 아주 오랜 시간에 걸쳐 풀어야 하는

문제도 있다.

오늘도 그런 하루였다.

추석 전 캔바1급 자격증 신청을 했다.

자격증을 받기 위한 시험공부를 했을 뿐 부족하다는 걸 알고 있다.

복습이 필요하다.

오늘부터 1강을 해 보려고 캔바를 켰다.

만들고 지우기를 몇 번 하다 보니 처음 접했을 때 보다

언제 공부를 했을지 싶을 정도로 돌아 서면 기억이 없다. 부족하더

라도 꾸준히 할 생각이다.

집은 고요하고 적막하기만 하다.

사람들은 다양한 취미들을 가지고 살아간다.

나름의 즐거움이 있을 것이다.

15.기억력

명절 때부터 드라마를 보고 있다.
요즘은 방금 본 드라마 제목도 잊어 먹곤 한다.
디즈니에서 무빙. 최악의 악. 한강.
오늘은 넷플릭스에서 도적을 보고 있다.
도적은 나라를 잃으면 어떻게 되는지를 잘 알려 주고 있다.
배우 김남길의 연기의 매력을 보게 되었다.
드라마를 보면서 머리를 식히고 있다.

저녁시간   뭐라도 해야 된다.
어제에 이어 캔바 2강 Letter portrait(글자 초상화)를
공부했다.
컴퓨터 앞에 앉아 캔바를 켜기까지 쉽지가 않다.
무엇이라도 붙들고 있다 보면 하나라도 배우게 된다.
집중해서 했던 공부였는데 생각이 나질 않는다.
사라질 오늘의 기억 이렇게라도 기록을 해 놓으려 한다.

16.사랑도 미움도

쉬는 날이 참 자주도 돌아온다.
추석 연휴 지난 지 얼마나 되었다고 또 일요일이다.
남아도는 시간이 반갑지 않다.

마음이 젊으면 늙지 않을 거라 생각했다.
건조하고 푸석한 가을만큼이나 마음이 말라가고 있는 듯하다.
며칠 전 결혼 한 아들의 빈자리 때문인지 노인이 된 느낌이다.
오늘 둘째에게 "동우야 너는 결혼 늦게 해라.
엄마와 오랫동안 살자"
 말을 했다.
"알겠어요..."
".........."
그냥 한 얘기가 아니었다. 진심이었다.
"한 10년 함께 살자...."
"........"
"엄마 그럼 몇 살 되는 줄 아세요.
"40살이 되요...."
"......."
"ㅎㅎ....."
말수가 적은 아들이 말대꾸를 해 준다.
요즘 들어 말수가 많아져서 좋다.

시집살이에 끈을 이어준 자식들이다.

온갖 일을 겪으면서도 자식들 때문에 견딜 수 있었다.

내 자식들만큼은 나와 같은 결혼 생활은 하지 않기를 바라는 마음
이다.

결국은 부부밖에 없다.

서로를 위하는 것은 결혼을 하면서부터 시작되어야 한다.

살아보니 미움도 사랑도 조금씩 쌓여 가는 것이다.

하루아침에 만들어지는 것이 아니다.

30년의 결혼생활이 눈뜨고 나니 지나간 듯하다.

앞으로의 남은 인생도 그럴 것이다

포기할 것은 하고 사람의 기대는 하지 않으려 한다.

늦은 오후 아들이 짐을 가지러 왔다.

가장의 모습이 느껴진다.

부모 품을 떠난 자식이다.

'이제 알아서 잘 살겠지....'

하다가도 남자로써 가장으로써 살아갈 아들 걱정이 된다.

17.조금씩 하나씩

무슨 일이든 꾸준히 한다는 것은 쉽지 않은 일이다.

어제에 이어 캔바를 켰다.

아무것도 하지 않으면 결과도 없다

캔바의 기억을 남기고 싶다.

어설프고 못하지만 조금씩 하나씩 모여 익숙해진다.

<라인 아트> 마음에 부담감을 내려놓고 해 본다.

하고 싶지 않은 일을 하는 것이 좋은 결과이다.

2023 10 09

18.말 하지 않아도 둘째에게

둘째 아들은 음식 투정을 하지 않는다.
먹을 게 없으면 라면을 끓여 먹기도 하고 냉장고에 있는 반찬을
잘 찾아 먹는다. 오늘 생각을 해 보았다.
아들이 말을 하지 않을 뿐 엄마에게 불만이 있을 수도 있겠다.
하는 생각이 언 듯 스쳐갔다.
신경을 좀 써주어야 할 것 같았다.
자식도 말을 하지 않으면 무슨 생각을 하는지 알 수 없다.
그 내면을 한 번도 생각해 보지 않았다.
엄마가 네게도 관심이 있다는 것을 행동으로 보여 주고 싶었다.
아들을 위해 불고기용 소고기를 사고 가지나물을 했다.

상대를 편하게 배려하면 점점 편하게 대하게 된다.
양보해서 그러는 건데.....
나름 편하게 해 주는 사람에게 나도 더 잘 대해 주어야
되는 것인데....

19.반복 되는 일

집안일은 할 일이 참 많다.
해야 할 때 하지 않으면 일이 쌓인다.
대부분 혼자 있을 때 하게 된다.
가족은 주부로써 내가 하는 일을 잘 알지 못한다.
들어오기 전에 해 놓기 때문이다.
퇴근 길 시장에 들렀다.
추석 전에 담궜던 김치가 떨어져 간다.
열무 한 단을 샀다.
비빔밥을 해 먹기에 좋은 이유이다.
채김치. 콩나물. 야채 몇 가지를 넣고 비비면 야채를 한꺼번에 먹을
수 있다.
양손에 몇 가지에 음식 재료를 사들고 왔다.
열무를 다듬고 씻었다.
큰 그릇과 소쿠리를 꺼냈다. 열무를 두어 번 씻고
좀 미지근한 소금물을 풀어 큰 그릇에 절였다.
그사이 마늘 양파를 손질하고 홍고추 풋고추 생강을 준비했다.
밥을 넣고 새우젓. 액젓을 한꺼번에 믹서에 갈았다
냉장고 문을 열었다 닫았나를 몇 번 다듬고 씻고 설겆이 하고
김치 한번 담는데 손이 많이 간다.
쉬지 못하고 두 시간이 넘었다.
오늘은 재활용 버리는 날이다.

두 번을 왔다 갔다 했다.

집안일이 아직 끝난것이 아니다.

가족이 오면 밥을 차려 주어야 한다.

둘째 아들이 들어 온다.

싱싱한 겉절이에 소불고기를 넣고 맛있게 먹는다..

주부의 역할이 많다.

20.동대문구 봉사

스마트폰 봉사를 다녀왔다.

오랜만의 외출이다.

한번 나서려면 왜 그리 멀게 느껴지는지...

할 일을 미루고 길을 나섰다.

막상 다녀오니 익숙하고 마음이 편안하다.

반겨주는 강사님들.

개인정보 강의를 들었다.

강의를 마치고 같은 노선을 타고 오는 강사님이 계신다.

몇 번을 함께 다니다 보니 서로 말은 하지 않아도 의지가 된다.

서로의 자녀들 이야기를 하고. 공부 이야기를 한다.

자영업에 얽매여 있는 나와는 다르게 다양한 활동을 제약 없이 하고 계셨다.

부족한 부분도 터놓고 스스럼없이 말을 한다.

딸. 아들이 구분이 없다는 요즘 달라져 가는 자녀이야기.

우리는 짧은 시간에 한마디라도 더 하고 싶어 했다.

그만큼 서로 신뢰하고 스스럼없다는 마음으로 통했다.

올 초부터 시작된 스마트폰 봉사 빠짐없이 성실하게 다녔다.

7월 8월은 복지관 여름 방학이었다.

나는 방학이 끝나고도 9월 한 달을 나가지 못했고

오늘에서야 발걸음을 떼었다.

생각해 보니 3개월을 나가지 못했다.

엊그제 같은 데. 그 시간이 복잡하고 굵직한 집안일들로 신경을 쓰이게 했다.

강사님이 이야기를 하신다.

"저는 지금이 제일 좋아요"

"하고 싶은 공부 무엇이든 열심히 해 보고 있어요".

지하철을 갈아타면서 우리는 열심히 이야기를 나누었다.

내가 이야기를 했다.

"저는 요즘 마음이 뻥 뚫린 것 같아요"

"빈 둥지 증후군이 이런 것인가 봐요"

아들 결혼을 하고 난 심정을 말했다.

내이야기를 듣고 이해를 해 주었다.

둘의 이야기는 끝을 맺지 못하고 서로 다른 노선으로 갈아타야 했다.

지하철을 타고 오는데 카톡에 선물이 들어 왔다.

스타벅스 커피 두 잔과 케이크선물이다.

헤어지고 마음이 쓰였나 보다.

생각지 못한 선물에 감사하다.

답을 보냈다.

이렇게 바깥바람도 쐬고 할 일을 하며 잘 지내게 될 것이다.

21.일희일비

'<계속 행복한 사람도 없고
계속 불행한 사람도 없잖아.
그냥 불행했다 행복했다.
인생 자체가 그냥 그런 건가 보다 하고
그냥 계속 행복하려는 욕심 자체를 버리고 그냥 누구나 일희일비
하면서 사나 보다 이렇게 생각하고 그렇게 사는것 같아....>'

인스타그램 쇼츠에 올라온 가수 이효리의 말이 마음에 들어왔다.
고뇌가 들어 있는 말이었다.

그렇다
불행이 오기도 행복이 오기도
즐거울 때도 슬플 때도 있다.
좋은일만 내게 있어 달라는 것은 욕심이다.
인생자체가 그런 것이다.
꽃이 피고 지듯이 해가 뜨고 지듯이 물이 들고 물이 빠지듯이
마음은 보이지 않을뿐 기쁨 아픔을 감당하고 있다.

22.뭐라도 하다보면

가을비가 오락가락 내리는 날이다.
아파트에 감나무가 눈에 들어 왔다.
어느 새 주황색으로 물들어 있다.
정신이 다른 곳에 있긴 한가 보다.
하루하루 무엇이라도 하고 있다.
'그래 오늘 뭐라도 했다'
'하다 보면 무엇이라도 되어 있겠지...'
혼자서는 하던 공부를 놓았을 것이다.
집중이 되지 않더라도 몸이 움직이다 보면 배우게 된다.

23.캔바 미러링

캔비 미러링 효과 어렵게 느꼈던 공부였다.
디시 해 보길 잘 했다.

24.가을 과일

시장에 과일값이 예전 같지 않다.

과일이 참 흔해졌다고 생각했던 적이 있었는데

추석전후에 사과를 사먹기 부담스러웠다.

시장에 나갈 때마다 사과 값을 보았지만 좀처럼 떨어지질 않았다.'

오늘 바구니를 보니 만원에 일곱 개이다.

빨갛게 잘 익어서 먹음직스럽다.

크기도 적당했다. 그사이 가격이 좀 내려가서

좋은 마음이 들었다.

한 바구니를 샀다. 갈증이 났던 터라 하나를 먹었다.

아삭하고 단맛이 좋았다.

기후변화 때문에 과일이 덜 열린 건지 알 수가 없다.

무엇이던지 넘칠 때는 귀한 줄을 모른다.

농작물도 자연환경도 관심이 간다.

25.캔바 초사실주의 아트

했던 공부였는데 다시 해 보려 하니
'내가 할 수 있을까..' 하는 생각이 든다.
캔바이다.<초사실주의 아트>
시험을 보는 것도 아닌데 떨리기도 한다.
시작을 해보니 했던 기억이 난다.
무엇이던지 잘한다는 것은 반복하는 것이다.
처음 접했을 때 밤새 붙들고 있던 공부였는데 다시 해 보니 할 만
하다.

요소/수박.지구.축구공선택

/ 반으로 나눈다/

요소/도형,동그라미 원에 맞게 넣어준다/

요소/원안에 들어갈 사진선택

요소/배경에 들어갈 사진 선택 배경에 넣어준다.

(그라디언트.back ground)

요소/구름등 어울리는 사진 넣어준다.

목업에도 넣어 보았다.2023 10 17

26.지금 역할이 어떤들

 퇴근길 마트에 들렀다.
직원들이 나누는 대화가 귀에 들어 왔다.
같은 유니폼을 입은 동료간의 대화였다.
"가서 밥 먹고 와"
"지금 시간이 되었어,."
직장에서 나누는 그 대화가 부러웠다.

지금 나의 역할은 주부이다.
내가 하고 싶은 역할은 무엇일까....
한 드라마에서 많은 연기자들이 등장한다.
주부인 나는 주연이다.

27.가을이면

미용실에 들린지 3개월만이다.
머리를 맡기는 시간이 편안하다.
원장님이 다정한 분이라 오래도록 다니는 미용실이다.
머리를 하고 나오니 어둡다.
한결 차가워진 바림이다.
서늘해진 바람이 기분이 좋아진다.

집에 돌아오는 길 둘째 아들이 먹고 싶다던 전어회를 샀다.
해년마다 가을이면
"엄마 전어 좀 사다 줘요." 한다.
말수가 없는 아들이다.
엄마의 관심을 갖고 싶은 유일한 말일 것이다.
'전어도 먹을 수 있어요.'하는 표현인 것 같다
음식점에 가면 친구들과 먹을 수 있을 텐데 말을 한다.
부모는 자식이 먹고 싶다 하면 좋아 한다는 것을 알고 있다.
아들에게 카톡을 했다.
"전어 사다 놓았다"
"네에 알겠어요.."
나또한 나름 아들과 가까워지려고 노력을 하고 있다.
감사한 날이다.

28.계획대로 되지 않는다.

짜여진 계획대로 되지 않을 때가 있다.
오늘이 그런 날이다.
두 가지의 일정이 뜻대로 되지 않았다.
몇 일전에 강의 신청을 했는데 듣지 못하게 되었다.
또 한 가지는 집에 손님이 오기로 했는데 손님맞이를
하지 못했다.
오후 시간을 계획대로 쓰지 못하게 되었다.
내가 이리 바쁜 시간을 보내게 될 줄 몰랐다.
살다 보니 달력의 날짜를 살피며 살고 있다.
'그래 계획대로 되지 않을 때도 있는 거야..!!!'
위안을 삼는다.

29.다시 시작

<30일간의 건강한 식습관 체중 감량 이야기>책을 출간 한지
두 달이 채 되지 않았다.
조금만 신경 쓰지 않으면 몸에 변화가 있다.
달고 간이 되어 있는 음식이 당긴다.
식탁에 빵. 치킨.초콜렛의 유혹은 힘들다.
한입만 먹는다는 것이 입맛을 돌게 한다.
체중이 늘어난다는 것은 건강과 연관이 된다.
소식을 한 이후 위가 편해졌다.
음식조절은 내게는 건강식이다.
식탁에 아들이 사다 좋은 빵이 있다.
'무슨 빵이 맛있을까..,'
하나하나가 모두 맛있어 보였다.
그중에서 단맛이 있어 보이는 것으로 골랐다.
빵의 유혹에서 벗어나지 못했다.
다음날도 하나를 먹었다.
매콤하고 달달한 맛이 좋아지고 있다.
이래서는 안되겠다..
건강을 생각하며 음식 조절을 다시 시작하자....

30.올 가을엔

가을이 깊어 가면 한해도 저물어 간다.

10월에 중반을 넘어가고 있다.

그럭저럭 한해를 보낸 것 같은데 결실이 있다.

책을 출간하고 좋은 사람들을 만난 해이다.

오늘은 군더더기 없는 청명한 가을날이다.

홍대의 어느 브런치 카페에서 <꿈마당 멤버>

만남을 가졌다. 주택을 개조한 것으로 보이는 카페는 아늑했고

아담한 마당으로 쓰였을 야외는 가을 공기와 햇살이

기분 좋게 했다.

처음 글을 쓰기 시작했을 때 여기까지 오리라 생각하지 못했다.

끈을 놓지 않고 하다 보니 지금에 만남이 이어졌다.

나는 계획을 세우려 하지 않으려 한다.

'언제쯤 무엇을 이루어야겠다.'라든지 ...

지인들과 오래도록 '함께 하고 싶다'던지....

하는 것들이다.

하루하루를 잘 살려고 한다.

중년이 되어서 알아가는 것들이 있다.

누군가를 만나고 헤어지는 것, 좋은 사람이 떠나가는 것에 집착하지

않으려 한다. 모든 것은 인연 따라 흘러간다.

인연은 흐르는 물과 같아서 가두어도 흐른다.

상대의 대한 미련도 서운함도 집착이다.

31.저녁형 인간

밤이면 무엇이라도 하고 있다.
100일 동안 챌린지를 하고 있어서이다.
무엇을 매일 한다는 것은 쉬운 일이 아니다.
100일이란 많은 의미를 둔다.
일요일 집이 편하다.
글을 쓰면서부터 책을 드려다 보게 되고
나를 돌아보게 된다.
세상이 변하여도 읽고 쓰는 것이 편하다.
불필요한 사진을 스마트폰으로 찍고 쌓인다.
어디에 기록이 되어 있는지 찾기에도 힘든 것을 넘치도록 모은다.
난 구시대 사람인지...노트에 기록해 놓은 것이 찾기에도 쉽고 보기
에도 좋다.
한권에 책으로 만들어 놓은 것이 내겐 진짜 기록으로 느껴진다.

32.가을 모기

가족의 저녁식사를 확인 후 내 할 일을 한다.

요즘 가을 모기가 건강한 소리를 낸다.

위이잉~위이잉~~

"동우야 ~~!

요즘 모기 많지?"

"네에. 가을인데 아직도 모기가 많아요..."

"모기향 피우고 자거라.."

말을 하고 내 시간을 갖는다.

언뜻 올빼미 생각이 난다.

깊어 가는 저녁 늦은 시간이 되어야 마음이 편하다.

33d.고향 친구

고향 친구에게 전화가 왔다.

초등학교 졸업후 얼굴을 본적이 없다.

"여보세요~~"

"네에~~"

"여보세요.."

조심스런 음성이 들린다.

. "........."

"으응. 나야 진희...."

반가웠다.

진희는 나이 또래보다 어른스러웠고 언제나 리더를 했다..

여름철 부모님 몰래 물놀이 했던 기억. 고무줄놀이 공기놀이

기억이 났다.

서로 친정을 오고 가는 날이 다르다 보니 만나지를 못했다.

'신혼생활을 제주도에서 하고

남편은 비행기 정비하는 사람을 만났다.'는 것을

전해 듣고 있었다.

지금은 안양에서 떡집을 한다고도 하고.....

40년이 넘도록 얼굴을 보지 못했다.

남편 이야기 자식 이야기는 중요하지 않았다.

어디에서 어떻게 살고 있는지도 묻지 않았다.

어디서든 잘 살고 있으면 되었다.

34.이렇게라도

챌린지는 도전이다.

포기하지 않고 끝까지 하는 인내심이기도 하다.

챌린지기간 동안 무엇이라도 하게 된다.

캔바를 만들어 해 본다.

이렇게라도 하는 게 나쁘지 않다.

캔바 <타이포그라피>

시간이 지나서 어떤 기능을 사용 하였는지 희미해지겠지만 .....

아련한 기억은 있을 것이다.

35.사랑의 표현

해가 기울어진 시간에 마트에 들렀다.
세일을 하지 않을까 기대하며 들렀지만 세일은 없었다.
필요한 물품만 사오려고 마음을 먹지만 그러지를 못한다.
가족이 좋아 할 만한 음식을 보면 들었다 놓았다를 하다가
사게 된다.
좋아 하는 음식을 준비 해두는 것이 사랑의 표현일 것 같은 생각에
특히 아들이 좋아 하는 것을 샀다.
초밥 세트를 구매했다.
퇴근을 하고 오면 배가 고플것이라는 생각에 케일 큰 세트로 샀다.
가족들과 맛있는 식사를 했다.
남김없이 먹고 소중한 시간을 보낼 수 있어서 좋았다.

36.아들은 공부중

아들들이 어렸을 적 보험을 넣어 둔 것이 있다.

20년 만기인데 앞으로도 7년여를 더 넣어야 한다.

상담사에 의지해서 보험계약을 했었다.

계약자의 이름이 내 이름으로 되어 있다.

아들들이 성인이 되어 보험 청구를 하려 하니 불편이 생기기 시작했다.

보험금을 신청할 때에 걸림돌이 되었다.

계약자가 보험금 신청을 해야 한다.

보험사를 들러 계약자를 아들 이름으로 바꾸었다.

5년마다 자동 갱신이 되는 보험이 있다.

둘째 아들에게 일처리를 맡겨 보았다.

갱신을 하지 않고 환급금을 받는 일 처리였다.

아들에게 설명을 하고 일을 맡기었다.

보험 회사에 상담 전화를 하는 데에만 3일이 걸린 걸로 알고 있다

상담사와 연결이 어려웠고 아들의 회사일도 바쁜 이유였다.

아들은 처리를 잘 하지 못했다.

상담사의 내용을 이해하지 못하는 듯 했고 어려워했다.

아들은 이제 하나하나 배워가고 있다.

아들이 일처리를 할 때까지 기다리려고 한다.

37.뤼튼에게

복잡한 생각을 하고 싶지 않을 때 넷플릭스를 본다.
머리를 비워 내기에 좋은 이유이기도 하다.
많은 영화나 드라마가 올라 와 있다.
무엇을 선택할지 망설여진다.
'오늘은 뤼튼에게 물어 보면 좋겠다.'
그래서 물었다.

"최근에 인기 있는 작품 추천해줘."

1."스쿱"-언론인들이 이야기를 그린 드라마로, 사회적 이슈와 진실
   을 추구하는 기자들의 이야기를 다룹니다.

2"스위트 홈"-고아로 남겨진 주인공이 동료들과 함께 생존을 위해
   싸우는 스릴러 드라마입니다. 좀비와 인간들의 사투를 그린 작품
   으로 큰 인기를 얻었습니다.

3.이태원 클라쓰-다양한 배경과 꿈을 가진 이들이 이태원에서 성공
   을 꿈꾸는 이야기를 다루는 드라마입니다. 사회적 이슈와 다양성
   을 다루는 내용으로 많은 사람들에게 사랑받았습니다.

4."킹덤"-조선시대 좀비 사태를 그린 액션과 스릴러가 결합된 드라

마입니다. 스릴 넘치는 플롯과 고요한 조선시대 배경이 매력적이며, 많은 시청자들에게 호평을 받았습니다.

5."별에서 온 그대"-로민틱 코미디와 판타지 요소가 결합된 작품으로,외계인과 인간 여주인공의 사랑 이야기를 그립니다. 재미있는 이야기와 로맨틱한 분위기로 인기를 얻었습니다.

위 작품들은 현재까지 인기를 얻고 있는 작품들 중 일부입니다. 선호하는 장르나 테마에 따라 선택해 보시면 좋을 것 같습니다. 즐겁게 시청하세요!

추천받은 <킹덤> 재미있게 보고 있다.

38.나이를 먹어 간다.

지인들에게 그동안 미루어 두었던 안부 전화를 했다.
일요일이라 편한 마음으로 문자를 보내고 통화를 했다.
오랜만이라 모두 반가워했다.
며칠 전 연락이 왔던 고향 친구 진희와도 오랜 시간 통화를 했다.
전에 다녔던 직장 동료들은 가끔 등산을 했으면 한다.
하루하루 가을이 가는 것이 아쉽다고 한다.
평소 어울리는 것도 서툴고 집과 살림만 알았던 사람이다.
나이를 먹긴 했나 보다.
차가워 보였던 언니인데 나이에는 하나씩 허물어져 가고 있다.
'날씨가 단풍구경하기 좋은 날이라고 얘기 한다.'
'아쉬운 가을날이 날마다 없어져 간다고도 한다.'

올해엔 유난히 꽃이 좋아졌다.
특히나 올 가을 들국화가 좋다.
집안에 몇 송이의 꽃이라도 있으면 마음이 행복하다.
휴일에 맞추어 등산을 다녀 볼까 한다.

39.아가에게

전화 하면 놀랠까봐 문자 보낸다.

결혼식 준비하고 예식 치루면서 마음고생도 많았지.

큰 산을 넘었지만 앞으로도 힘든 일이 생길 날이 생걸거야.

엄마도 살아보니 인생이 만만치가 않더구나.

너무 힘들 때는 양가 부모님과 의논 하면서 풀어 나가면 좋을 것

같아.~

물론 좋은 일이 더 많겠지만...

 시어머니 생일까지 챙기려니 마음이 부담스럽기도 했을 거야.

엄마도 표현력이 부족하고 많이 부족하다.

마음은 항상 아들 며느리편이고 잘 되길 응원 하는 마음이다.

생일 선물 감사히 잘 받았다..

최고의 생일 선물이었다.

고생 많았다.감사하다.

아들 며느리가 행복했으면 하는 바램이다.

40.제철 과일

가을 과일 단감이 맛이 좋다.

올가을 들어 두어 번 사다 먹었는데 아삭거리고 수분이 많다.

단 것이 당길 때 피로 회복에도 도움이 되는 것 같다.

오늘은 연시를 사러 마트에 갔다.

연시가 먹고 싶었는데 마음먹고 사왔다.

늦가을 잠깐 나왔다 들어가 버리는 연시이다.

과일 가게를 지날 때마다 연시를 보았다.

혹시나 들어가 버릴까 하는 조바심이 들기도 했다.

가족 반찬거리도 사고 이것저것 장을 보았다.

양손은 무거웠고 등에서는 땀이 흥건했다.

집에 도착하자 손을 씻고 말랑거리는 연시를 먹었다.

반쪽으로 나누어 먹다 보니 세 개를 먹었다.

올 가을에도 좋아 하는 연시를 먹어서 아쉬움이 없을 것 같다.

41.희망

힘든 세상이라고 느껴진다.

큰 위기 없어 그럭저럭 살아 갈수 있어 정말 다행이다.

좋은 날을 바라는 희망이 있다.

요즘 나물 반찬이 좋다.

물가가 비싸다고 하지만 재래시장에 가면

부담 없는 채소가 있다.

참나물, 쑥갓.돗나물 다양하다.

부담되지 않은 가격에 싱싱하기까지 하다.

참나물을 데쳐 된장과 청양고추를 넣고 조물조물 묻혔다

몇 끼를 먹어도 물리지가 않다.

근대는 으깨어 된장국을 끓였더니 부드럽고 맛이 좋다.

오늘은 쑥갓을 데치고 두부를 으깨어 넣고 묻혀 볼 생각이다.

나물 위주의 음식을 준비하려고 한다.

음식을 준비하고 먹고 싶은 것을 먹을 수 있고 이 또한 감사하다.

42.늦가을 단풍

오늘은 목요일 매주 있는 스마트폰 봉사일이다.

복지관 가는 길 나무를 올려다 보았다.

형형색색 단풍이 눈길을 끈다.

올 봄 꽃으로 수놓았던 벚꽃 나무들도 낙엽이 되어 떨어지고 있다.

꽃을 보여 주고 여름을 푸르게 장식 했던 나무였다.

실컷 보고 잊고 지냈다.

이제 겨울을 준비 중이다.

내년 물기를 머금은 꽃망울로 한 해를 시작 할 것이다.

반갑게 맞이해 주고 싶다.

43.황혼

박완서 작가님의 '황혼'은 무슨 내용일까?

책의 내용은 이랬다.
아직은 젊은 50대에 시어머니가 되었다.
아들의 결혼으로 젊은 시어머니는 늙은 여자가 되었다.
한집에 살면서 시어머니란 호칭 대신 노인이나 할머니로 불린다.
시어머니는 가슴에 무언가 만져지고 가슴앓이를 한다.
아들 며느리에게 명치 부분을 문질러 달라고 청하지만 거절 한다.
늙은 여자는 그 옛날 시어머니에게 해 주었던 방법이었다.
병원을 가서 검진을 하지만 증세를 듣지 못한다.
어느 날 며느리 친구에게 전화가 왔는데 시어머니는 그들의 전화 내용을 듣게 된다.
홀시어머니가 성적인 욕구 불만이 있어서 그렇다고 말한다.
시어머니는 모욕감을 느끼지만 말을 할 수도 없다.
늙은 여자는 아무 것도 할 수 없는 무가치한 존재라고 생각한다.
어느새 나 또한 늙은 여자의 입장을 이해 해야 할 나이가 되었다.

44.내일 산행

아침 재래시장에 들러 통배추를 샀다.

내일 산행 약속이 있다.

코로나 이전 산을 다닐 때 간단한 점심을 싸들고 다녔다.

그 기억으로 겉절이 김치를 가져갈 생각이다.

오전에 절인 배추는 오후가 되어서야 완성이 되었다.

가을산 단풍을 본지도 오래 되었다.

2020년 코로나 이후 산행을 하지 못했다.

내일 산행은 어떨지 싶다.

소풍가는 마음으로 보쌈과 김치를 준비했다.

내일 비소식이 있다.

내일은 내일 생각하자

45.북한산 산행

베란다에 내어 놓았던 등산 가방을 꺼냈다.

비옷. 돗자리를 챙겼다.

코로나 이후 등산을 다닐 일이 없을 것 같았다.

오전 비가 오지 않더니 집을 나서려니 비가 내린다.

약속을 했기에 집을 나섰다.

집밖을 나섰는데 사람들이 눈길이 의식이 되었다.

'비오는 날 웬 등산' 날궂이 하는 것 같기도 했다.

6호선을 타고 북한산이 있는 불광역을 향했다.

다행이 전철 안에 몇몇 사람들이 등산복 차림이 있다.

전철에서 내려 출구를 나가니 빗줄기가 굵다.

망설임 없이 산을 향했다.

우산에 떨어지는 빗소리가 듣기 좋다

산 중간쯤에 오르니 비가 잠시 멈추었다.

사람들이 없어 더 좋았다.

친구도 좋아 한다.

산은 아무것도 변한 게 없다.

3년 전 풍경 그대로이다.

정상까지 오르지 못했지만 한적해서 좋았다.

짧은 시간 우산을 지붕 삼아 점심을 먹었다.

도시에 내려 오니 산속 맑은 공기와눈 다르다.

북한산 낙엽이 수북히 쌓여 있다.

46.평온함을 위해

매일 일이 생긴다.
오늘도 그런 날이다.
한가롭게 두지를 않는다.
기한 내에 해야 할 일은 끝이 없다.
자고 나면 또 생긴다.
전화로, 온라인으로. 직접 해야 할 일이 있다.
모두가 신경 쓰이는 일이다.
그냥 하루하루 살아내는 것 같다.
앞서거니 뒤서거니 가다보면 내가 가는 길이 막힐 때도 있다.
그럴 때면 옆길을 선택 했다.
그 길이 아니면 또 다른 길을 갔다.
평온을 위해 열심히 살았을 것이다.
켜켜이 살아낸 시간이 지금의 나다

47d.잘 한다는 것

캔바를 공부 했지만 자신감이 없다.

하면서 흥미를 느끼는 공부였지만 쉽지 않았다.

잊어버린 것이 많다.

자격증을 위한 공부인지 활용을 하기 위한 공부인지 싶다.

오늘 복습을 해 보았다.

텍스트 Be Happy를 쓰고 시작한다.

글자를 쌓아 올리기이다.

좌우, 위아래로 쌓아 올리는 방법이다

'타이포그라피'라고 한다.

두 가지 방법를 해 보았다.

해 보았던 기억이 난다.

잘 한다는 것은 복습만이 없다는걸 느낀다.

좌 우 8.9 숫자만큼 움직이며 쌓아 올렸다.

48.재활용 나가는 날

일주일에 한 번씩 나가는 재활용 수거일이다.

박스.스치로폴.병.캔.비닐봉투.의류.가전제품 등등..

집집마다 양손 가득 내어 놓는다.

좀 더 써야 할지, 버릴지 고민 되는 물건들이 있다.

아까워서 집에 두면 쓰지 않은 경우가 더 많다.

버리는 것도 용기가 필요하다.

아나바다라는 말이 생각났다.

아껴 쓰고, 나눠 쓰고, 바꿔 쓰고,다시 쓴다는 뜻으로 알고 있다.

이런 말이 현실에 맞는 말일까 싶다.

내가 갖고 싶지 않아서

너무 많아서

먹고 싶지 않아서

싫증나서 준다는 것은, 생각을 해 봐야 한다.

처분 하는 것이다.

어디에선가 이런 이야기를 들은 적이 있다.

남에게 무언가를 줄때는 귀한 것을 주는 것이 주는 것이라고 ....

아나바다를 하기전 소비를 신중하게 하는 것도 좋을 듯 싶다.

49.쇼핑

작년 이맘때 없었던 것도 아닌데 계절이 바뀌면 무슨 옷을 입을지 망설여진다.
웬만해선 집에 있는 옷으로 입으려고 한다.
나이 탓인지 어깨가 시리다.
조끼를 입으면 따뜻할 것 같다.
장롱에 있는 옷위에 걸쳐 입으면 코디에도 좋을 듯싶다.
어깨를 덮는 넉넉한 니트 조끼를 온라인으로 샀다.
따뜻하고 좋았다.
하나를 더 사려고 다른 쇼핑몰을 보았다.
마음에 드는 옷을 찾지 못했다.
오늘 백화점 근처 볼일이 있다.
조끼를 사러 들어갔다.
여성의류 매장 몇 군데를 들러 보았다.
마음에 드는 옷을 찾기가 쉽지 않다.
그냥 나오려는데 친절한 매니저를 만났다.
다른 매장과 달리 조끼가 다양하게 있다.
내 나이에도 맞고 입어 보니 가볍고 편하다.
푹신한 소재의 후드가 달려 있다.
겉으로 보기에도 따뜻해 보였다. 가격도 그리 부담스럽지 않다
망설이다가 아이보리와 검정 두 개를 샀다.
번갈아 입어 가면서 겨울을 보낼 수 있을 것 같다.

50.새로운 일을 하게 되고

아무것도 모르고 온라인 공부를 시작 했으니 모르는 것 투성이었다.
스마트폰을 배우고 자격증 공부를 했을 때 아들들을 귀찮게 했다.
도움이 없었다면 힘들었을 것이다.
자식들은 세상 물정 모르는 엄마로 여겼다.
공부가 그냥 취미생활이면 좋겠다며 걱정스런 잔소리를 했다.
'엄마가 공부 하는 건 응원하는데 몸도 좋지 않은 사람이 무리한 것 같다'같은 말이었다.
엄마가 글쓰기를 해도 시큰둥했다.
출간이 되어 나왔을 때도 가족은 읽지 않았다.
아들들에게 책 선물 했을 때에도 쑥스러웠다.
두어 달 전 결혼한 큰 아들에게서 전화가 왔다.
이런 저런 이야기를 마치고 하고 싶은 얘기를 한다.
"집사람이 엄마 책을 10권 샀어요."
"장모님에게 드렸고, 우리 팀장님에게도 드렸어요." 한다.
장모님은 책을 읽고 엄마가 살아온 인생을 알 수 있었다는 얘기를 하셨다고 했다.
책이 아니었다면 짧은 시간에 나를 알 수 있었을까……,
평생 대화를 나누어도 사람의 내면을 안다는 건 어렵다.
글만한 소통창구가 있을지 싶다.

51.겨울 느낌

가을이 변덕이 심하고 점점 더 짧아지는 느낌이다.

초여름 날씨이기도 하다가 추운 겨울 느낌이 나기도 한다.

오늘은 피부에 닿는 공기에 한기가 느껴진다.

부드럽게 비추던 가을 햇살은 냉랭하게 변해 있다

따뜻한 옷을 입었는데도 추위에 적응이 덜 된 탓인지 춥다.

수분 없이 가벼워진 나뭇잎들은 을씨년스럽게 거리를 나뒹군다.

김장을 준비하는 소식이 들리고 가게는 겨울 용품 진열을

하기 시작 한다.

교회 근처를 지나오는데 평소보다 어수선하다.

사람들이 나와 크리스마스트리를 설치하고 있다.

올 겨울 밤거리를 수놓을 불빛이 상상이 된다.

반짝반짝 빛나는 트리는 행복의 상징 같기도 하다.

외롭지 않은 겨울을 보내려면, 겨울 준비를 해야 할 것 같다.

트리를 바라보며 외롭지 않다고 느낄 만큼의 행복이면 된다.

52.쉽지 않다

지금까지 공부를 해 오면서 혼자 할 수 있는 공부는 없었다.

강의를 신청하고 수강료를 지불 하면서 듣는다.

그냥 선택을 하는 것 같지만

강의 하나를 들을 때 마다 망설임이 있다.

들어야 할지. 말아야 할지 고민을 한다.

강의를 듣고 바로 내 것이 되는 경우는 별로 없다.

다양한 강의를 듣고 오랜 시간이 지난 후에야 익숙해져

가는 듯하다.

지금도 온라인에서의 모든 것이 낯설다.

블로그.인스타등등 글을 쓰고 그 위에 더해야 하는 것들이

끝이 없다. 영상이라든지 하는 것들이다.

블로그 강의는 이곳저곳에서 몇 번을 들었음에도

제대로 된 활용을 못하고 있다.

애초부터 온라인 공부가 되어 있었더라면 쉽게 받아 들였을 것이다.

이번에 블로그 강의를 한 번 더 신청을 했다.

큰 기대를 하지는 않는다.

새로운 사람을 만나는 것으로도 충분하다.

조금씩 하다 보면 무슨 결과가 있으면 감사한 일이다.

자식들은 품안을 떠나고 있다.

지금은 공부라는 것을 하면서 지내고 싶다.

53.여행

며칠 전 친구와 북한산 산행을 했을 때 여행을 하자 했다.

강원도 속초이다.

설악산 산행을 얘기 했지만 등산을 하기 에는

준비가 되어 있지 않다.

10여년전 설악산을 갔던 기억이 있다

그때는 몸이 가벼웠다. 지금은 겁이 난다.

오래전 기억은 지금도 생생하다.

설악산의 하늘은 파랗고 깨끗했다.

붉게 물든 단풍잎은 투명하고 맑았다.

계곡의 흐르는 물. 폭포에서 떨어지는 물소리, 따사로운 햇빛

흠잡을 데 없었다.

나는 산을 다닐 때 오르는 데에만 신경을 썼다.

지금은 그렇지 않다.

걷고 있는 길만 보지 않는다. 주변이 눈에 들어온다.

여유로움과 느긋함이 있다.

친구와 이변 주 토요일 강원도 여행을 결정 했다.

스마트폰앱으로 고속버스 예매를 했다.

속초는 매진이 되어 원하는 시간이 없다.

강원도 양양을 선택했다. 양양은 어떤 곳일까....

낯설은 곳에서 여유를 갖고 싶다.

54.코로나 예방접종

몸살 기운이 있을 때면 약을 먹고 쉬면 나아지곤 했다.

올해는 감기가 유난히 자주 온다.

심한 두통이 정신을 못 차리게 했던 적도 있다

감기약을 먹어도 잘 낫지 않았다.

건강에 신경을 써야 한다는 걸 느껴가고 있다.

독감 예방접종을 며칠 전에 했다.

오늘은 코로나 접종을 하러 평소 다니던 병원을 들렀다.

원장선생님이 편하고 약도 잘 든는다.

그래서인지 병원은 언제나 북적인다.

오늘도 순서를 오래도록 기다렸다.

코로나와 독감 예방접종 기간이라 사람들이 평소보다 많다.

오늘 맞은 코로나 백신은 '화이자'이다.

올해 화이자는 접종 후 1년 뒤에 맞으면 된다고 한다.

접종 비는 무료였다.

주사 탓인지 졸리고 피곤한 증세가 있다.

55.스마트폰

스마트폰으로 할 수 있는 것이 많다.

블로그. 인스타그램.동영상편집. 은행업무.쇼핑.

교통...한순간도 떨어질 수 없다.

지갑은 없어도 되지만 휴대폰이 없으면

일상생활을 하는 데에 지장을 준다.

이제 신체의 일부라 해도 나무랄 데 없을 듯하다

블로그 강의를 신청했다.

수업은 블로그수업인데 '네이버 스마트보드'앱을 배웠다.

지금까지 네이버 스마트보드를 사용 해 보지 않았다.

배워보니 쓰임새가 많다.

마이크 기능과 맞춤법 검사가 좋다.

말을 하는 대로 음성이 잘 전달되어 글을 써준다.

마이크 기능이 이번 기회에 익숙해질 것 같다.

블로그 수업이지만 수업 중간 중간 스마트폰 기능을

알려 주신다.

스마트폰의 쓰임새는 끝이 없을 듯하다.

56.배움은 만남

가을비가 내린다.
동대문구 봉사가 있는 날이다.
기분이 좋다.
이 시간엔 무언가를 배우고 온전한 내 시간을 가질 수 있다.
전철을 타고 가는 시간마저 좋다.
봉사는 마음을 편하게 한다.
오늘은 비가 내리고 오후엔 안개가 끼었다.
추위는 온데 간데 없고 안개 때문인지 포근하게 느껴진다.
올 2월부터 시작한 봉사는 공부가 많이 되었다.
특별한 것을 배워서라기보다 꾸준하게 했던 결과이다.
오늘 수업은 사진 속에 사진 넣기 이다.
마음에 드는 배경에 넣고 싶은 사진을 넣을 수가 있다.
갤러리에 있는 사진을 선택하고 오린다.
오린 사진을 배경에 넣으면 그 장소에 있는 것처럼 보인다.
강사님들과 사계절을 함께 하다 보니 친근감이 느껴진다.
무언가를 배운다는 것은 사람과의 만남인 듯하다.
강사님들도 수강생 분들도 낯선 첫 만남이었다
사계절을 함께 하면서 정이 스며 들었다.

57.의지 부족일지라도

들어야 할 동영상이 많다.

머리는 공부를 해야겠다는 의지가 있다.

내 몸은 다른 행동을 하고 있다.

저녁에 잠들면서 '내일 새벽에 들어야겠다.' 하고 잠이 든다.

아침에 눈을 뜨면 다짐은 사라지고

'저녁에 한가하게 들어야겠다....' 하고 다시 미룬다.

유튜브를 보게 되고. 짧은 쇼츠을 보다 보면 공부에

집중을 못한다.

낯선 온라인 공부는 몇 번이고 반복하는 방법밖에 없다.

영상을 한번 봐서는 무슨 말인지 이해하기 조차 힘들다.

짧은 영상에서 부터 긴 영상까지 끝까지 보기에는 인내심이 필요하다.

혼자서는 의지 부족으로 공부하기 어렵다.

지금까지 많은 커뮤니티를 했다.

때론 마지못해 했던 공부가 결국 도움이 된다.

함께 공부를 할 때에는 공부가 되고 있는지 와 닿지 않는다.

시간이 지나고 다른 공부를 하다 보면 해 놓았던 공부가 도움이 되었다.

오늘도 쉬고 싶지만 무엇이라도 기록 한다.

58.고구마와 물김치

올해도 고구마가 올라 왔다.
친정 엄마가 보내셨다.
이맘때가 되면 보내 주신다.
집 곁 밭에 조금 심는다고 하시는데
해년마다 말려 보지만 소용없다.
올해도 고구마를 캐고 며칠을 앓아 누우셨다.
박스를 열러 보니 하나라도 더 담으려고 나란히
 줄을 지어 쌓으셨다.
시골에서 음식이 오면 기쁘기보다 마음이 아프다.
집에 택배가 도착하고 잘 먹겠다고 전화를 드리면
흡족해 하신다.
아침 출근길에 가게에서 쪄 먹을 생각으로 챙겨 갔다.
냄비에 물을 반쯤 넣고 삶았다.
고구마 냄새가 가게에 퍼졌다.
익은 고구마를 꺼내 먹어 보았다.
단맛이 잘 들었다. 마침 건물에 사는 지인이 오셨다.
따뜻한 고구마를 건네 드렸다. 그렇지 않아도 고구마가 먹고 싶었다
고 했다.
잠시 뒤 고구마는 물김치와 먹는 것이라며 동치미를 유리병에
담아 오셨다.
담은지가 며칠 되었는지 먹기 좋게 숙성이 되어 있다.

남은 고구마를 물김치와 먹어 보았다.

잊고 지냈던 맛이었다.

어렸을 적 겨울밤이면 부모님과 먹었던 기억이 났다.

장독대에서 큰 그릇에 떠 온 동치미 참 맑고 시원했다.

고구마 동치미 더 좋아질 것 같다.

59.강원도 양양 하조대

토요일 강남 고속버스터미널역에서 경부선을 탔다.

강원도 양양 가는 버스이다.

예상 되는 시간은 2시간으로 되어 있다.

서울에서 차가 막혀서인지 도착 하여 보니 3시간이 걸린다.

양양 터미널에 내리니 바람이 많이 분다.

하조대를 가려는데 길을 물어야 했다.

사람들에게 물어 보니 택시를 타고 가라고 한다.

택시비가 비싸다.

대중교통을 알아보았다.

하조대 방향은 7. 7-1번 버스가 가는 것을 알았다.

시간표을 보니 오가는 버스가 많지 않다.

운 좋게도 시간에 맞는 버스가 정류장에 왔다.

젊은 관광객들이 버스에 올랐다.

버스는 하조대 방향을 향해 달렸다.

창밖으로 보이는 소나무들이 멋스럽게 보인다.

버스에서 내리니 바닷가까지 20여분을 걸어야 한다.

바다에 사람들이 많지 않다.

파도가 세고 바람이 많이 분다.

바닷가 가까이 가기에 파도가 무섭다.

전망대를 올라 바다를 내려다 보았다.

넓은 바다가 한눈에 들어온다.

차가운 공기가 가슴 깊은 곳까지 들어오는 느낌이 좋다.

잠시 머물다가 오던 길을 걸어 시내로 왔다.

시내는 한적하다.

음식점을 찾아 둘러보았지만 문을 연곳을 찾기가 힘들다.

멀리 막국수집 간판이 보인다.

막국수를 먹으면서 다음 행선지를 알아보았다.2023.11.20

60.블로그 강의를 듣고

아무리 좋은 강의를 들어도 실행에 옮기지 않으면 기억이 나지 않는다.

캔바를 활용하여 블로그 사용법을 배웠다.

수업을 들으면서 만들어 보았다.

1.목업

2.드림보드

3.효과

위 세가지를 배우는 수업이었다.

2023.11.21

61.블로그 체험단이 궁금해요

말로 쓰는 불로그 강의를 들으면서 블로그 체험단에 대해 듣게 되었다. 몇 번에 블로그 강의를 들었지만 어렵게만 느껴졌다.
이번 말로 쓰는 블로그에서 체험단을 알려 주었다.

1.구글이나 네이버에서 '리뷰노트'를 검색한다.
2.체험단 검색을 한다.
3.원하는 지역을 선택 한다
4.신청하기를 누른다.
5.당첨이 되었다면
6.체험단 미션을 꼼꼼히 읽어 본다.
7.마지막 공정위 문구를 작성한다.

"이 글은 리뷰노트를 통하여 제품 또는 서비스를 공급받아 작성한 글입니다.(공정위 문구건)

62.한해 봉사를 마치며

올 2월부터 시작한 스마트폰 봉사 오늘 종강을 했다.

2시간을 생각했던 다과회는 늦은 시간까지 하게 되었다.

이런 저란 이야기를 나누는 시간이 그냥 좋았다.

봄, 여름, 가을, 겨울 사계절 같은 길을 다녔다.

첫날 복지관을 찾아 헤매던 생각이 났다.

그 낯설었던 곳이 익숙해져 있다.

같은 하늘, 같은 자연의 변화에도 그 길은 매주마다 달리 느껴졌다

부지런히 살아 움직였다.

꽃이 필 때 비가 올 때가 생각난다.

사진을 찍곤 했다.

봄 산수화 벚꽃이 눈을 즐겁게 해 주었고

여름의 푸르름이 햇볕을 가려주었다.

붉게 물들어 가는 가을이 황혼을 생각하게 했고

겨울이 첫날을 돌아보게 했다.

받은 것이 많은 해이다.

63.선택과 집중

산다는 건 선택의 일상이다.

아침에 눈을 뜨고 잠을 청하는 순간까지 이어진다.

공부를 선택해야 하는 경우가 많아졌다.

무언가를 배운다는 것은 좋은 선택이라 생각한다.

다만 과하면 좋지 않다.

카톡방에 많은 강의가 올라온다.

무슨 공부를 해야 할지 망설임이 있다.

내 마음인데 마음대로 되지 않는다.

흔들리는 것은 상대의 말과 환경에 좌지우지되기도 한다.

어쩌면 그 또한 핑계일지도 모른다.

강요해서 일어난 일이 아니기 때문이다.

온라인 세상에 정보라도 놓칠세라 듣다 보면 헤어나기가 쉽지 않다.

무료 강의를 듣다보면 배워야 할 것 같다.

내게 필요한 공부인 것만 같아 신청을 하게 된다.

공부를 하면서 여러 가지 생각이 든다.

어느 책에서 "교양 속물"이라는 글을 보았다.

써먹지 않을 공부를 해 놓는 것일 것이다.

집안에 필요할 것 같아 물건을 쌓아 놓듯이 ....

말의 담긴 뜻을 알 것 같았다.

내 마음에 집중을 해야 할 것 같다.

64.글쓰기는 마음 내려 놓기

요즘 여기저기에서 글쓰기에 많은 관심을 보이고 있다.
글을 쓰고 책을 내고 싶어 하는 사람들이 많은 것 같다.
의지를 가지고 시작 했던 것과는 다르게 중간에 포기하는 분들이 있다.
결코 쉬운 일은 아니라는 것을 알 수 있다.
내 경험담을 이야기 해 보고 싶다.
나는 2021년 전부터 글을 쓰기 시작 했다.
전자책과 종이책을 출간 했다.
결혼 생활에 관한 이야기, 자식, 일상생활 이야기이다.
다섯 권의 책을 썼는데, 경험과 생각 감정을 바탕으로 한 이야기를 쓴다.
이 과정에서 나만의 생각을 정리하고 필요한 정보를 수집하는 시간을 가질 수 있었다.
일정량을 쓰는 습관이 중요했다.
완벽함을 추구하기 보다는 생각나는 대로 글을 쓴다.
이후에 수정을 하고 다듬는 과정을 거치면서 나만의 글을 쓰고 있다. 힘들 때면 욕심을 내려놓는다.
남에게 보여지기 보다는 일기를 쓰고 있다고 생각한다.

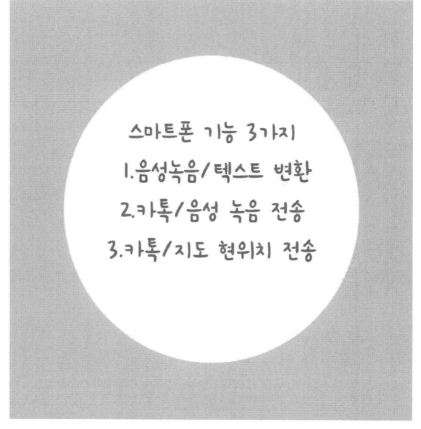

3주째 블로그 수업을 듣고 있다. 이번 수업을 잘 들어 보려고 노력 중이다. 블로그 수업이지만 스마트폰과 연결이 많이 되어 있다. 배웠던 기능들을 다시 배우니 복습이 되어 좋은 점이 있다. 지금까지 여러 명의 강사를 만났다. 몇 번의 강의를 들었지만 쉽지 않다. 그래도 처음에 비하면 나아지고 있다.

올 한해가 한 달여 남았다.

추워진다 싶더니 크리스마스가 생각 난다.

블로그 수업에 캔바를 배웠다. 검색창에 크리스마스카드를 검색하니
많은 템플릿이 나온다. 간단하지만 나만의 카드를 만들 수 있다.

67d.네이버 그린닷

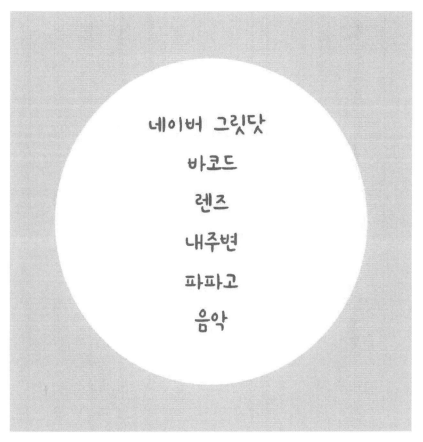

스마트폰에 검색 기능이 많다.

그중에 네이버 그린닷이 있다.

아무리 많은 기능도 사용하지 않으면 잊어 버린다.

쇼핑렌즈. 바코드. 내주변 모두 유용한 기능들이다.

68.커피 샴푸

계절이 바뀐 탓인지 나이를 먹어서인지 요즘 머리카락이 힘이 없고
감을 때마다 많이 빠진다.
삼푸를 신경 써서 써 보지만 예전 같지 않다.
블로그 수업중 강사님이 알려 주시는데 두피에 좋은 삼푸를 알려
주신다.
커피를 동전만큼 덜어 일반 샴푸와 섞어서 써 보는 것이다.
처음 듣는 이야기라 반신반의가 되기도 한다.
커피는 먹는 식품이어서 두피에 유해가 있다는 생각은 들지 않는다.
바로 실천을 해 보려고 한다.
효과가 있으면 좋겠다.

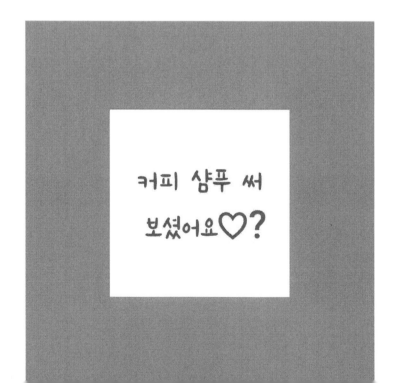

69.카카오 택배

택배 보내러 갈
시간이 없을때!!
카카오 택배가 있네요.

카톡에 좋은 기능이 있다.

보내야 할 택배가 있을때 시간 내기가 쉽지 않다.

하루전에 얘약을 하고 포장을 해 놓으면 기사님이 직접 방문을 한
다.

70. Face App앱

<Face App앱>

어렵지 않고 단순하게 되어 있다.

71.Photo Studio

<Photo Studio 앱>

몇 번의 터치만 하면 된다.

play스토어앱에서 앱을 다운 받는다.

1.콜라주(사진합성)을 누른다.

2. 아트콜라주를 누르면 많은 템플릿이 나온다.

20231202

72. 12월이 되었다.

2023년 달력이 한 장 남아 있다.
내년 계획을 생각하니 할일이 많다.
올해에 이어 스마트폰 봉사를 하려고 한다.
부족한 공부가 많다는 생각이 든다.
스마트폰을 배워야 할 것 같아 강의를 신청했다.
배울 것이 많다. 새로운 기능들도 있고 잊어버린 것도 있다.
쉬운 기능이라도 쓰지 않으면 잊어버린다.
배워서 나누고 싶다.
무엇이라도 기록을 게을리 하지 않으려 한다.
스마트폰강의, 말로쓰는블로그. 책표지 디자인 세 가지의 강의를 듣
고 있다.
공부하기에 벅차다.

73.반드시 해낼 거라는 믿음

질문 1
 평소 고마운 사람이 있는가?
지금 바로 감사 메시지를 또는
작은 선물을 보내라.

질문 2
 지금 바로 떠오르는 사람이 있는가?
지금 바로 "문득 생각나서"라며 전화해라.

뛰어난 성과를 내는 방법 4가지
첫째-공헌을 생각 해라.
둘째-중요한 일에 집중해라.
셋째-시각을 높여 탁월성을 추구해라.
넷째- 진지함을 가져라

"반드시 해낼 거라는 믿음" 본문중에서
전대진 작가

74.스마트폰 카메라 기능

1.스마트폰 카메라를 켠다.

2.하단의 더보기를 누른다.

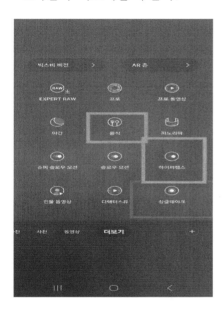

3.음식-먹음직스럽게 윤기 있게 찍힌다.

4.하이퍼랩스-책장이 빠르게 넘어간다.

5.싱글테이크-10초 동영상이 되고 음악이 들어간다.

75.캔바 드림보드

캔바에 간편한 탬플릿이 있다.
드림보드라는 것이다.

검색창에 드림보드를 입력하면 다양한 템플릿이 나온다.
음식. 여행 사진등 다양한 사진을 넣을 수 있다.

76.책으로 마음 밭을 일궈라

내 마음 밭은 원망으로 가득 차 있었다.
내 마음 밭은 절망으로 가득 차 있었다.
내 마음 밭은 우울함으로 가득 차 있었다.
내 마음 밭은 열등감으로 가득 차 있었다.
내 마음 밭은 안 된다는 생각으로 가득 차 있었다.
내 마음 밭은 할 수 없다는 생각으로 가득 차 있었다.

책이라는 쟁기가 내 마음 밭을 갈아 엎었다.

내 마음 밭은 감사로 가득 차 있다.
내 마음 밭은 희망으로 가득 차 있다.
내 마음 밭은 기쁨으로 가득 차 있다.
내 마음 밭은 자존감으로 가득 차 있다.
내 마음 밭은 될 수 밖에 없다는 생각으로 가득 차 있다.
내 마음 밭은 할 수 있다는 생각으로 가득 차 있다.

송수용 작가의 "내 상처의 크기가 내 사명의 크기다." 중에서

77.스마트폰 갤러리

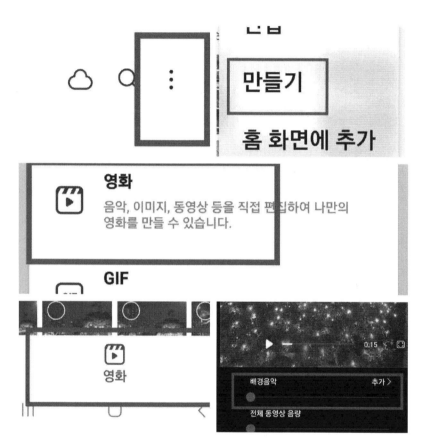

스마트폰 갤러리에 다양한 기능들이 많다

그중에 영화이다.

스마트폰 갤러리의 오른쪽 상단에 점세개를 누른다.

만들기를 누른다.

하단의 영화를 선택한다.

갤러리의 사진이 나온다.

만들고 싶은 영화에 어울리는 사진을 선택한다.

하단의 작은 글씨 영화를 누른다.

영상이 만들어진다.

음악추가를 하여 어울리는 음악을 넣을 수 있다.

어렵지 않고 몇 번의 터치만으로 영상이 만들어진다.

스마트폰 휴지통 비우기

설정
배터리 및 디바이스 케어
저장공간
갤러리
용량이 큰 파일
편집
비우기

자주 비워줘야 저장공간이 늘어 난다.

79.표정

표정이 학력이나 스펙보다 훨씬 중요한 능력이다.
사람들은 자신의 표정이 자신의 인생에 얼마나 결정적인 영향을
미치고 있는지 심각하게 생각하지 않는다.

내가 사람들에게 아무말 하지 않고 있어도 사람들은 나를 자기들
마음대로 평가한다.그들은 내 표정만 보고 나를 판단하는 것이다.

표정은 내가 생각하는 것보다 훨씬 심대하게 인생에 영향을 미친다.
내갸 표정을 관리하지 못하면 표정이 내 인생을 관리한다.

표정이 학력이나 스펙보다 훨씬 중요한 능력이다.
표정은 세상이 나를 인식하는 첫 번째 신호이기 때문이다.

"내상처의 크기가 내 사면의 크기다.:" 본문중에서
송수용 작가

카톡
전체 데이터 삭제하기

카톡 상단 삼선
하단에 톱니바퀴 설정
맨하단전체 데이터 삭제

하루에도 쌓이는 카톡 대화방 테이터 삭제 해 줘야 한다.

81.스마트폰 메세지로 사진.영상 바로 보내기

문자 메세지 옆에 있는 꺽쇠를 누른다.

카메라 모양을 누른다.

사진 촬영, 동영상 촬영을 선택하고 찍는다.

메세지창에 바로 보내면 된다.

카톡에도 있는 기능이 메세지 창에 모두 있다.

82.소중한 이순간

한 해가 얼마 남지 않았다.

소중한 시간이 흘러가고 있다.

앞. 뒤 돌아볼 여유도 없이 이렇게 살고 있는 것이 의미가 있을지

순간순간 생각을 한다.

올해에 참 많은 일이 있었다.

2023 09 03에 있었던 아들의 결혼이다.

소중한 일들을 내 마음속에 저장한다.

먼 미래까지 생각하지 않으려 한다.

이 순간이 소중하다.

떠밀리듯이 앞으로만 가고 있다.

83.100일 챌린지를 하면서

100일 챌린지를 하면서 한해가 며칠 남지 않았다는 것을 알 수 있다.
오늘 날짜를 보니 올 한해도 17일일 남았다.
하루하루가 줄어드는 것을 보니 시간의 소중함을 알 것 같다.
이제 얼마 남지 않았다.
1년 365일은 같은 시간인데 참 빠르게도 느리게도 느껴진다.
시간은 정직하다.

카톡

동사무소 가지 않이도

카톡으로 주민등록 초본

발급받아요.

동사무소 가지 않아도 카카오톡 지갑에서 각종서류 발급 받을 수
있어요

카톡
카카오 뱅크
세이프박스?
하루만 넣어 두어도
이자를 주어요.

카카오뱅크 세이프박스에 저금을 하루만 넣어도 이자를 주어요.

86. 친정에서 김장 하고 오는 고속도로에서

고속도로를 타고 올라오는 창밖풍경 눈이 온다.

올해 김장길은 춥고 눈비가 오는 닐아 되었다.

해년마다 김장철이면 엄마는 얘기 한다.

"내년에는 내가 못할 것 같다."말씀 하신다.

자신의 인생이 어떻게 될지 항상 불안하신가 보다.

김장을 갖다 먹는 마음도 불편하다.

엄마가 아니면 김장을 못 해 먹을 거라 생각이라도 하시는 것 같다.

며칠 전부터 배추를 사다 놓으셨다고 하셨다.

언제 오느냐고 보채신다.

어제서야 시간을 내어 친정집에 갔다.

그새를 참지 못하고 혼자서 김장을 해 버리셨다.

새우젓과 마늘 생강만으로 맛을 내는것이 엄마의 김치이다.

엄마 창고에는 이것저것 많이도 챙겨 놓았다.

다람쥐가 겨우내 먹을 음식을 모아 놓은 듯 했다.

종류도 많았다.

자식 먹일 마음으로 모으셨을 것이다.

엄마는 또 말씀 하신다.

"내년에는 김장 못 할 것 같다"

라고

'김장 김치 못 먹어도 좋으니 건강하세요. 엄마'

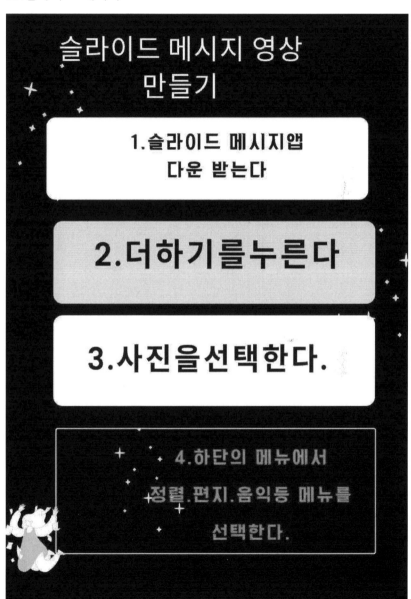

88.블로그 새그룹 추가 만들기

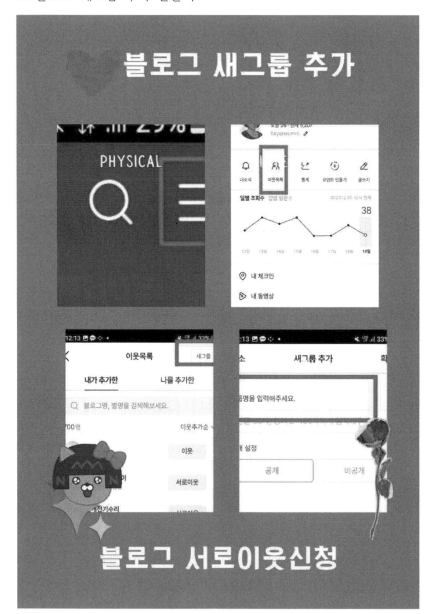

블로그 서로이웃 신청을 하고 있습니다.

모바일에서 카테고리를 만드는 방법입니다.

블로그 홈 상단에 삼선을 누릅니다.

이웃목록을 누릅니다.

새그룹을 누릅니다.

'새그룹'추가에 카테고리이름을 정하여 적어 줍니다.

89. 카톡 오픈방 홈화면에서 바로 가기

〈블로그〉
내 최근 1시간 통계 알아보기
모바일에서 확인
홈화면 상단 삼선 누르기
통계
상단 '크리에이터 어드바이저
터치
내블로그 데이터 확인

내 블로그 통계

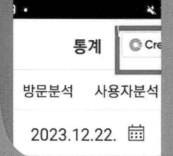

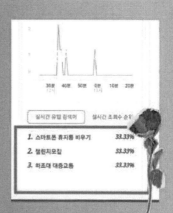

최근.1시간 조회수

91. 동지날에

겨울은 겨울인가 보다.

이번 주는 며칠째 춥다.

오늘은 일 년 중 밤이 제일 길다는 동짓날이다.

이사날을 며칠 앞두고 마음이 붕 떠있는 기분이다.

해야 할 일은 많은데 손에 딱 붙은 일이 없다.

벌려 놓은 공부가 모든 집중력을 떨어트리고 있다.

평생 물속에서 살지 않아도 될 토끼가 수영을 배우고 있는 겪은 아닌지 의문을 몇 번이고 품게 된다.

과연 내게 필요한 공부를 하고 있는지...

하루에도 많은 생각을 한다.

2023 12 26일 이사날이다.

시간이 될 때 짐정리를 한다.

이삿짐센터에서 해 준다는 이사인데도 어렵다.

이사를 나르는 사람들에게도 신경을 써야 하는 세상이다.

동사무소에 들러 버리고 갈 물건들에 붙일 표를 샀다.

버려야 할 물건들에 정이 들어서 마음이 좋지 않다.

함께 했던 물건들이다.

생명이 없다 뿐이지 나와 오랜 시간 함께 하고 편리하게 해 주었다.

살다보면 마음속으로 정을 뗄 일들이 많다.

집과의 이별에 시간이 다가온다.

〈감성 공장〉앱
플레이스토어에서 감성 공장 앱을 다운
받는다
앱을 열면 다양한 카드를 선택하고
캘리그라피 글씨를 선택할 수 있다
이 두개를 합성 하여 카드를 만들 수
있다 .

감성공장

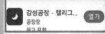

블로그 글을 볼때 글씨가 작아 불편할때가
있더라고요.
이럴때 블로그 상단을 보시면 돋보기 기능
이 있어요. 한글 가라고 적혀 있어요.
 이곳을 누르면 글씨를 작게 할수도 있고 크
게 할수도 있어요.

모바일에서 블로그를 볼 때 글씨가 작아 답답할 때가 있다.
이때 상단에 '가'를 누르면 글씨 조정을 할 수 있다.
2023 12 23

94day 쉽고 맛있는 배추전 만들기

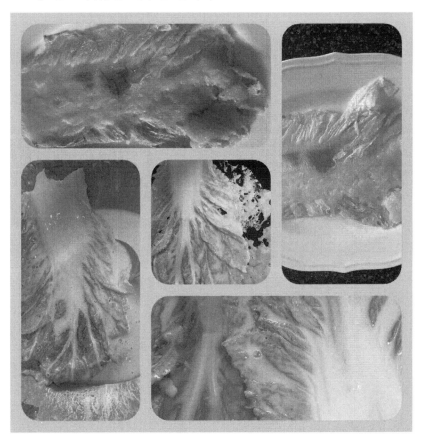

겨울에 김장 김치가 효자이다. 배추는 겨울철 없어서는 안 될 음식
재료이다.

오늘은 배추 전을 만들었다.

친정엄마가 김장을 하고 남은 배추를 주었다.

겨울 배추가 달고 맛이 좋다.

95. 블로그 사진에 링크넣기

블로그사진에 링크 넣는 법
넣고 싶은 사진을 불러 온다
사진을 터치하면 초록색 테두리가
생기면
하단의 링크 모양을 누른다
전화번호를 넣을 수 있게 된다
전화번호는 소문자 영어를 넣어 준후
연락처를 넣어 준다
tel:010-0000-0000
 마지막 확인을 눌러 주면 링크가
만들어진다

블로그에 홍보글을 알릴때 전화번호 링크 넣을 수 있다.

96. Face App앱 포토퍼니아앱.캡컷앱 이용하여 동영상 만들기

크리스마스에 만들어 보았어요.

97. 안사돈과의 식사

아들이 결혼을 하고 첫 생일이다.
이번 사위 생일을 장모님이 챙겨 주신다고 하신다.
안사돈과 며느리와 식사를 했다.
요즘엔 사돈이 참 좋은 관계인것 같다.

식사를 하고 후식으로 차를 마시고 많은 대화를 나눈 날이다.

98. gif 만들기

갤러리에서 gif만들기
블로그등에 많이 쓰이기도 한다.

갤러리
오른쪽 위에 점 세걔
만들기
gif 선택
속도 조절 가능 (최대 15까지이고 너무 빠른 것은 권장 하지 않는
다.)
최대 사진 50장까지 가능하다.

99모멘트 캠으로 나만의 캐릭터 만들기

플레이 스토어에서 모멘트 캠을 다운 받는다.

나만의 아바타 만들기
접근 허용
앱사용중에만 허용
계란형 모양이 뜬다.
왼쪽에 있는 갤러리에서 사진선택
좋아 하는 머리 모양과 색깔 원하는 대로 선택이 가능하다.
나만의 아바타를 만들어 볼 수 있다.

100,한해를 마무리 하며

한해를 뒤돌아보니 많은 일들이 있었다.
올 마무리를 하면서 생각 해 보니 내 생활은 2020년과
연결이 되어 있다.
3년이라는 시간 속에 새로운 인생을 배우게 되었다.
온라인공부. 인생 공부이다.
시어머니와의 이별
새로운 공부 시작
아들의 결혼이 있었다.
12월 26일 이사까지 3년 안에 이루어진 일이다.
몸과 마음의 변화도 예전과 다르다.
빠르게 변화 하고 있다는 걸 느낀다.
앞으로의 세상이 궁금하다.
100일 챌린지를 하면서 기록을 매일 했다.
시간이 흐른 후 꺼내 볼 수 있게 되었다.

에필로그

"100일은 짧지 않은 날입니다.
100일동안 필요한 것을 배우며 인내심을 갖게 되었습니다.
알게 된 깨달음이 있습니다.
지나친 배움 또한 과욕이라는 것입니다.
내려놓음의 소중함을 배웠습니다.
부족함은 조금씩 채워 나갔을 때 삶의 행복이 배가 된다는
것을 알게 되었습니다.
100일 여정은 끝났지만, 내려놓음의 깨달음을 잊지 않으려 합니다.
여기까지 읽어 주신 분들에게 감사합니다.

도서명 인생의향기

발 행 | 2024년 02월 05일
저 자 | 박수연
펴낸이 | 한건희
펴낸곳 | 주식회사 부크크
출판사등록 | 2014.07.15.(제2014-16호)
주 소 | 서울특별시 금천구 가산디지털1로 119 SK트윈타워 A동 305호
전 화 | 1670-8316
이메일 | info@bookk.co.kr

ISBN | 979-11-410-6843-1

www.bookk.co.kr